Rana
et le dauphin

Jeanne-A Debats

Mini Syros Soon

Une collection dirigée par Denis Guiot

Ce roman a reçu le prix Dis-moi ton livre 2013.

Couverture illustrée par Stéphanie Hans

ISBN : 978-2-74-851292-2
© 2012, Éditions SYROS, Sejer,
92, avenue de France, 75013 Paris

Chapitre 1

Je m'appelle Rana, comme la déesse des mers nordiques. C'est ma mère qui a choisi ce prénom parce que le jour où je suis née, il y a neuf ans, une tempête terrible a ravagé la côte de notre petite île bretonne.

Les vents étaient si violents qu'ils ont drossé une baleine bleue sur le rivage. Malgré tous leurs efforts, les gens du village n'ont jamais pu remettre la grande bête à l'eau. Elle était énorme, m'a raconté Papa, et lorsqu'on l'a traînée jusqu'aux vagues, deux treuils ont cassé sous son poids. Presque cent soixante-dix tonnes ! Aussi grosse que deux autobus !

Elle est morte là, chez nous, très loin de ses zones de chasse habituelles. J'ai toujours pensé que Papa et Maman regrettaient un peu d'avoir été obligés de rester à la maternité à cause de moi, au lieu d'aider leurs amis à sauver ce magnifique animal. Mais je ne leur en veux pas : moi aussi, j'aime les cétacés, j'ai grandi à l'ombre du plus grand d'entre eux.

À l'époque, le maire a décidé qu'on laisserait son squelette sur place, pour les touristes. Il a fait construire un grand hangar afin de l'abriter. L'été, il y a quelquefois des visiteurs, mais l'hiver c'est fermé, il faut demander la clé à mes parents. Je n'ai jamais rien volé d'autre que cette clé, mais je l'ai fait tant de fois que j'en ai perdu le compte.

Je devais avoir six ans à peine la première fois que je l'ai subtilisée, et je
n'étais pas fière en pénétrant dans le hangar, je vous prie de le croire. Pourtant, je
ne me souviens pas vraiment de ma peur,
je me rappelle mon émerveillement.

Suspendu au-dessus du sol tapissé de
moquette bleue par des filins aussi épais
que mes deux poignets réunis, le squelette du cétacé dormait là pour l'éternité.
Le soleil entrait à travers des hublots
placés sur le toit et de grands rayons de
lumière glissaient sur l'ivoire des os. Le
crâne d'un blanc de neige en forme de bec
d'oiseau ou de tête d'éléphant luisait doucement dans une ambiance de cathédrale.
La salle sentait la poussière et l'humidité,
donnant à l'endroit un air abandonné et
mystérieux un peu inquiétant.

Depuis, j'ai rendu visite à ma vieille
amie la baleine des milliers de fois,

me faufilant sous les vertèbres plus épaisses que ma tête, jouant à cache-cache entre les côtes hautes comme huit fois ma taille, au moins. Je pense que mes parents ont toujours su que j'y allais mais ils n'ont jamais rien dit. Ils sont cétologues, c'est-à-dire qu'ils étudient tous les mammifères marins : les baleines, les rorquals, les cachalots, les orques, les dauphins et ils les aiment.

Alors, je crois que ça leur fait plaisir que je les aime aussi.

Chapitre 2

Autre particularité en ce qui concerne le jour de ma naissance : je suis née un premier avril. Oui, ça a l'air drôle de naître un premier avril, mais pas tant que ça. À l'école, on me surnomme souvent « poisson d'avril » pour me faire enrager. Et ça m'énerve, vous ne pouvez pas savoir !

Lors de mon dernier anniversaire, Maman est revenue de son travail ravie, les joues roses de contentement, et m'a lancé dans un sourire lumineux :

– J'ai une merveilleuse surprise pour toi, ma chérie !

À la regarder, on aurait surtout dit que la merveilleuse surprise était pour elle. Il devait y avoir de ça aussi, vu comme Papa la fixait, tout heureux. Du coup, j'ai pensé que ça ne devait pas être le super-déguisement de sirène que j'avais commandé pour cadeau mais quelque chose de vraiment très spécial.

– Prends ton maillot de bain, a ajouté Maman.

Je l'ai fixée, stupéfaite. Il faisait beau en ce début de printemps, mais l'eau de la mer d'Iroise était encore froide. Moi, ça ne me fait pas peur, cependant Maman qui est du sud de la France est persuadée que si on se baigne à moins de 20 degrés, on risque la mort au pire, et au mieux la pneumonie.

On est montés dans la voiture sans que j'aie pu lui faire avouer de quoi il retournait. J'ai juste réussi à lui arracher un autre sourire éclatant de bonheur. Et puis on a roulé vers le Centre de Recherches Nanotechnologiques où ils travaillent tous les deux. Maman s'est garée dans le parking des employés et on s'est dirigés vers son labo. Je n'y avais jamais mis les pieds, les mesures de sécurité sont très sévères au Centre. C'était vraiment étrange. Surtout quand on a croisé le directeur.

Lui, je ne l'aime pas, il a toujours l'air de vous soupçonner de quelque chose. Chaque fois qu'il venait à la maison, je me souvenais de toutes les bêtises que j'avais pu commettre et que Maman ignorait. Alors, je rougissais et je ne savais plus quoi dire. Là, il m'a ébouriffé les cheveux que je porte courts et il s'est esclaffé. Mes parents ont ri aussi, mais je voyais bien qu'ils se forçaient un peu. On est repartis ; en chemin, Maman a soufflé à mon père :

– Ce type me fait peur, on dirait un requin.

Elle avait raison : avec son costume noir, sa peau trop blanche, un peu molle, et ses dents pointues, il avait tout à fait l'air d'un requin qui aurait appris à marcher. Maman a ajouté, changeant de sujet :

– C'est quand même merveilleux d'avoir obtenu les autorisations d'application de nos recherches !

Papa lui a souri. Ils ont levé les paumes de leurs mains droites au-dessus de leurs têtes et les ont claquées l'une contre l'autre comme deux joueurs de basket après un panier décisif. Ça devenait de plus en plus mystérieux, cette histoire.

Ma mère a sorti son pass et ils m'ont fait rentrer dans un hangar plus petit mais qui rappelait assez celui de ma baleine, sauf qu'il était en deux parties. Il y avait des paillasses partout dans la première, des étagères transparentes chargées de fioles aux formes bizarres pleines de liquides colorés. Il y régnait une odeur curieuse d'infirmerie, je me demandais vraiment ce que je faisais là avec mon maillot de bain. C'est alors que j'ai vu l'immense piscine bleu azur derrière la baie vitrée qui ouvrait sur la deuxième pièce. Une partie du bassin se trouvait protégée par le hangar, l'autre moitié était à l'air libre, donnant presque directement sur la mer par un système de vannes qui permettaient de changer l'eau. Les vagues battaient contre la digue toute proche.

Je suis restée stupéfaite en voyant ce qui nageait dedans !

Chapitre 3

Il devait avoir à peine dix-huit mois. Il était encore petit, tout juste un mètre cinquante du rostre à la queue, mais lorsqu'il atteindrait sa taille adulte, il ferait facilement plus de deux mètres. Sa peau d'un gris clair presque argenté brillait tandis qu'il faisait des bonds partout dans la piscine. Un instant, il m'a fixée de son œil rond et noir comme un œil de nounours en peluche avant de replonger dans une gerbe d'écume blanche. Je me suis approchée du bord en serrant la main de Maman très fort.

– Qu'est-ce que tu attends, Rana ? a-t-elle demandé en souriant et en désignant une des cabines.

Je l'ai regardée sans y croire, mais elle a détaché ses doigts des miens et m'a poussée en avant.

– Va !

Jamais je n'ai couru aussi vite ! Je me suis changée en un temps record. En moins de deux minutes, j'étais assise sur le rebord. Le dauphin ne s'est pas approché tout de suite ; avec tout le barouf qu'il faisait, il ne s'était pas rendu compte qu'il avait une invitée. Il ne cessait de faire des plongeons à l'autre bout du bassin, vers les petites ouvertures qui amenaient l'eau du large. De la margelle, Maman m'a rassurée :

– Il est encore tout fou d'avoir été sorti du container de transport. Mais ne t'inquiète pas, je me suis baignée trois fois avec lui déjà, et il est très gentil.

– Pour l'instant, c'est quand même un vrai typhon, a dit Papa, un peu dubitatif.

Puis il a jeté un coup d'œil indulgent à Maman. Nous avons échangé un regard de complicité, tous les deux. Lorsqu'il s'agit de moi, Maman a peur de tout d'habitude. Mais s'il y a quelque chose au monde qui ne peut pas lui inspirer la plus petite inquiétude, ce sont bien les dauphins.

Avec précaution, je me suis enfoncée dans l'eau, presque jusqu'au nez et j'ai sifflé sous la surface. Il est arrivé aussitôt. Son museau allongé s'est matérialisé devant moi dans un concert d'éclaboussures. Maman m'a donné un hareng qui nageait dans un seau, je l'ai tendu du bout des doigts vers lui. Il l'a cueilli délicatement dans sa gueule en me scrutant de son joli œil noir. Il avait l'air de rire. Puis il est reparti jouer à l'autre bout. Je n'ai pas osé siffler à nouveau, alors j'ai demandé :

– Comment il s'appelle ?

Maman a fait un signe de dénégation :

– On ne lui a pas encore donné de nom.

– Qu'est-ce que tu dirais de « Typhon » ? a proposé Papa. Ça lui irait bien !

J'ai crié « Typhon » sous l'eau, il est revenu et a glissé doucement son museau sous mon épaule, me faisant basculer dans l'eau pour jouer. Il avait déjà avalé le hareng.

– Il a l'air d'accord, ai-je dit. Typhon !

C'était le plus merveilleux anniversaire de ma vie et j'ai envoyé au diable tous les costumes de sirène !

Chapitre 4

Typhon et moi, on est devenus amis tout de suite. « Peut-être même avant le hareng », disait Papa en plaisantant. Je passais des heures dans l'eau à jouer avec lui, jusqu'à ce que ma peau devienne blanche et ridée comme une pomme. Je pouvais venir quand je voulais, j'avais même un pass magnétique du Centre à mon nom avec ma photo, comme mes parents ! La gloire ! Maman avait démontré au directeur que le dauphin aurait besoin de compagnie, sinon il dépérirait. Évidemment, on ne pouvait pas demander à deux grands savants comme eux de passer leurs journées à se baigner.

Pendant ce temps, eux, ils travaillaient. Je ne savais pas sur quoi, mais ça avait l'air drôlement excitant parce qu'ils en parlaient sans arrêt. Si je n'avais pas eu Typhon, je me serais beaucoup ennuyée, cet été-là : ils étaient si passionnés qu'ils ne faisaient guère attention à moi. Pour l'instant, ils se contentaient d'observer Typhon et de faire des tests *in vitro*, c'est-à-dire dans des tubes, pas sur Typhon. Mais ça m'inquiétait quand même un peu et j'ai fini par poser la question à Papa, un soir où il lisait son journal en attendant le retour de Maman :

– Qu'est-ce que vous allez lui faire, à Typhon ?

– Aucun mal, je te rassure. Et puis ta mère ne le permettrait pas, tu le sais bien.

Il allait reprendre sa lecture, mais j'ai insisté :

– Alors ?

Il a poussé un gros soupir et a posé son journal :

– C'est compliqué, ma Reinette. Tu sais sur quoi je travaille, moi ?

J'ai hoché la tête :

– Tu construis des robots tout petits, si petits qu'on ne peut même pas les voir avec un microscope. On les envoie dans le corps des malades. Des robots comme ça ont opéré oncle Joe quand il a eu un cancer, ils ont tout nettoyé et puis il a guéri. Mais il n'est pas malade, Typhon ?

Soudain, j'étais vraiment très inquiète.

– Non, il est en pleine forme, a répondu Papa. Les nanorobots chirurgiens, c'est bien, mais ce qu'on va faire avec Typhon est encore plus extraordinaire ! (Il s'échauffait en parlant et ses yeux brillaient d'enthousiasme.) On va utiliser les nano-robots pour modifier son cerveau !

– Pour quoi faire ?

– Typhon est très intelligent, n'est-ce pas ? a demandé Papa sans répondre directement.

– Oh oui, il sait même quand je suis triste et il essaie de me faire rire ! Il y arrive chaque fois, d'ailleurs !

– Tu ne penses pas qu'il y parviendrait encore mieux s'il savait parler ? Ta mère et moi voulons prouver que les nano-robots peuvent agir sur la matière grise, la réparer ou même, plus extraordinaire encore, l'améliorer en cas de maladie de naissance. On pourra sauver des tas d'enfants si ça fonctionne.

Chapitre 5

Le mois de juillet s'achevait et j'avais presque tout oublié de cette conversation lorsque Papa m'a dit :

– Aujourd'hui, nous allons faire quelque chose d'un peu douloureux à Typhon. Ce sera très rapide et tout à fait anodin, pas de panique. Ta mère et moi, nous nous demandions si tu voudrais rester avec nous pour nous aider à le tranquilliser pendant qu'on... (il a hésité) lui injecte le produit, a-t-il achevé.

J'ai avalé ma salive et j'ai demandé :

– Vous allez lui faire une piqûre? Et ce sera tout?

– Ce sera tout, je te le promets.

L'après-midi, on s'est retrouvés tous les trois au labo en compagnie du directeur. Chaque fois que je croisais cet homme, maintenant, je pensais: « Requin. » J'avais vraiment du mal à ne pas partir dans un fou rire. J'évitais le regard de Papa dans ces cas-là, parce que je savais qu'il y pensait aussi et je n'aurais pas pu me retenir. Lui non plus, sans doute. Mais, d'un autre côté, il n'y avait pas de quoi rire, car c'est lui qui commandait. Le directeur est resté dans la première pièce tandis que Papa, Maman et moi allions nous changer dans les cabines.

Typhon était comme d'habitude collé non loin des vannes vers la mer. C'était son coin préféré du bassin. Quand nous avons plongé, il nous a rejoints en quelques sauts élégants et s'est jeté sur moi en sifflant par son évent. C'est comme une petite bouche au sommet de son crâne ; c'est par là qu'il respire et qu'il émet des sons. En général, ça vrillait l'oreille, mais c'était rigolo.

On l'a entouré tous les trois en lui faisant des caresses. C'était fou comme il adorait ça ! Il en réclamait tout le temps quand on jouait ensemble. Il les rendait comme un chat, en se faufilant de toute la longueur de son corps contre mes jambes. Il avait la peau toute douce.

J'ai pris son museau entre mes mains en murmurant des mots tendres pour le rassurer. Puis Papa l'a bloqué dans ses grands bras, et Maman s'est approchée avec la seringue. C'était un gros truc blanc avec une aiguille que j'ai vraiment trouvée énorme, mais je n'ai rien dit. J'ai juste sursauté quand la pointe est entrée sous la peau épaisse, presque argentée, de mon ami et qu'il a gémi. Un vrai gémissement, comme celui d'un bébé blessé. J'ai eu mal pour lui. Puis on l'a relâché et il est parti bouder dans son coin préféré. Je ne voyais plus rien parce que j'avais les yeux pleins d'une eau salée qui ne venait pas du bassin.

J'ai à peine entendu Maman murmurer:

– Et maintenant, il n'y a plus qu'à attendre…

Chapitre 6

Très vite, Typhon s'est mis à utiliser son évent d'une façon bizarre, émettant des bruits de plus en plus étranges. Ça l'amusait : comme tous les dauphins, il adorait jouer. Maman passait désormais beaucoup de temps dans la piscine à lui faire faire des exercices vocaux avec son évent. De longues modulations, des courtes, des graves, des pointues. Typhon répétait tout avec une facilité croissante. Pourtant le directeur ne cessait de harceler ma mère parce qu'il trouvait que ça n'était pas assez rapide, en sale requin qu'il était, n'arrêtant pas de lui dire que les crédits de leurs recherches fondaient comme neige au soleil.

Moi, du coup, j'avais le droit d'aller voir Typhon beaucoup moins souvent. Mais comme la classe avait repris, je n'aurais pas pu être autant présente de toute façon. Alors, après l'école, je n'avais rien de plus pressé que de laisser mon cartable à la maison et de filer au Centre pour plonger dans la piscine et jouer avec mon ami.

Un soir, je suis entrée dans le labo, mes parents n'étaient pas là. J'avais pour consigne d'attendre qu'il y en ait au moins un des deux pour me surveiller. Mais ça faisait deux jours que je n'avais pas vu Typhon, alors je me suis dit que ce ne serait pas grave si j'attendais au bord, les pieds dans l'eau. J'étais tellement pressée! J'ai couru, mon pied a glissé et j'ai chuté en arrière en continuant à déraper. Ma tête a frappé contre la margelle, j'ai senti que je tombais dans la piscine et, d'un coup, tout est devenu noir.

À cet instant, j'ai entendu un grand cri, très aigu:

– *Rana!*

Je me suis réveillée parce qu'on me secouait, Papa criait:

– Rana! Rana!

J'ai pensé que j'avais sûrement fait une très grosse bêtise, il ne m'appelle Rana que dans ces moments-là, sinon c'est Reinette. J'ai ouvert les yeux, Papa me serrait contre lui et mes cheveux dégouttaient d'eau sur son beau costume. Typhon avait posé le museau sur le rebord de la piscine, il gémissait lui

aussi comme Papa, ses sifflements res-
semblaient à nouveau à ceux d'un bébé.

– Il t'a tirée de là, ma chérie, m'a-t-il dit
en caressant ma joue. Et c'est lui qui a
appelé au secours !

– Mais comment il a fait ? ai-je demandé
sidérée, en essayant de m'asseoir.

– Il a crié ton nom si fort que ça a
résonné dans tout le Centre.

Chapitre 7

Le premier mot articulé de mon ami avait été mon nom… *Rana* !

Vous ne pouvez pas imaginer ce que ça m'a fait. Bien plus encore que de savoir qu'en prime il m'avait sauvé la vie en me tirant du bassin pour me pousser sur la margelle.

Quant à Maman, d'un côté elle était horrifiée que j'aie failli me noyer, de l'autre, folle de joie du progrès soudain de Typhon. Elle ne s'y attendait plus. Elle en a conclu que l'évolution de Typhon avait été bloquée pour une raison inconnue, mais que le traumatisme de mon accident l'avait sorti de son blocage. Et c'est vrai qu'à partir de là mon ami a appris les mots à une vitesse hallucinante, sans compter que je pouvais aller de nouveau le rejoindre comme je voulais.

*

– *Plonge ! Rana ! Profond !* a sifflé Typhon.

J'ai obéi. J'ai filé vers le fond aussi vite que j'ai pu. Je n'avais pas touché les faïences bleues comme des saphirs qu'il me passait dessous. J'ai attrapé les bords de ses nageoires au passage et je me suis hissée sur son dos. Il a continué à nager sous l'eau, me laissant le temps de bien m'accrocher à lui, puis il a fait de grands sauts, jusqu'à ce que ma mère nous rappelle. Alors, comme souvent, au lieu d'obéir tout de suite, il m'a emmenée dans son coin préféré.

– Pourquoi tu aimes tant cet endroit, Typhon? ai-je demandé.

– *Eau fraîche*, a-t-il répondu de son sifflement nasillard. *Goût du large*, *bêtes marines, voyage. Bon.*

Il ne parlait pas très bien, c'est vrai, mais il avait fait de sacrés progrès.

– Tu regrettes la mer? Tu voudrais être libre?

– *C'est quoi libre?*

Ah! j'étais embêtée, je comprenais le mot, mais pour l'expliquer… Et là, il m'a dit:

– *Libre, c'est sans murs?*

– Oui! me suis-je écriée, toute contente qu'il ait trouvé tout seul.

Son œil noir s'est illuminé un instant, puis il a changé d'expression:

– *Sans toi, alors ?*

– Oui, ai-je fait, la gorge nouée.

Il n'a pas répondu et, de son rostre, m'a fait comprendre que je devais rejoindre ma mère.

Chapitre 8

L'hiver était bien entamé et les progrès de Typhon se révélaient de plus en plus étonnants. Un jour, j'ai eu une idée que j'ai trouvée géniale : je lui ai amené mes « livres de bain » de quand j'étais petite. C'étaient des livres en plastique, Maman me les donnait pour me distraire quand elle me lavait les cheveux dans la baignoire. J'avais horreur de ça, alors les livres m'aidaient à rester tranquille.

Typhon les a aimés tout de suite. Il me posait sans arrêt des questions sur les photos d'oiseaux, de poissons et d'autres animaux qui fleurissaient dans les pages plastifiées. Et ce qui l'amusait surtout, c'étaient les «petits dessins noirs en dessous». Il trouvait que ça ressemblait à des étoiles de mer mâchouillées par un crabe. Qu'est-ce qu'on a ri tous les deux avec ça! Encore plus quand je lui ai expliqué le coup des lettres et de l'alphabet.

Alors il a eu envie d'apprendre.

– *Comme ça je pouvoir jouer tout seul en pensant à toi*, m'a-t-il dit.

Il a compris bien plus vite que moi au CP, je dois le dire. J'étais très fière de mon élève, mais on a attendu qu'il sache très bien lire avant de montrer les résultats à mes parents. Vous auriez vu leur tête quand il leur a lu toute une page d'un de leurs rapports! Il a conclu en disant que ce n'était pas très drôle, leurs

histoires, et qu'il préférait mes livres.
J'étais morte de rire.

Mes parents, non. Maman était toute
pâle et Papa ne valait guère mieux.

– Qu'est-ce qu'il y a? On a fait quelque
chose de mal?

– Non, ma Reinette, a dit Papa en me
caressant les cheveux. Ne t'inquiète pas
et surtout ne dis à personne que Typhon
sait lire!

J'ai senti que c'était grave, bien plus
grave qu'il n'osait me le dire. Alors je me
suis contentée de murmurer:

– Oui, Papa!

– Et, ma puce, surtout pas au Requin,
d'accord?

Comment avouer à Papa que je ne
disais bonjour à ce type que parce qu'il
m'y obligeait? Alors, le reste...

Chapitre 9

Le printemps approchait, les jours rallongeaient, mais l'atmosphère à la maison se refroidissait. Papa et Maman étaient soucieux. Ils avaient de plus en plus de conversations à voix basse qui s'interrompaient quand j'arrivais, et Papa évitait mon regard.

J'ai fini par m'énerver et par poser la question à Papa, profitant du fait qu'il était seul. Maman, elle, ne m'aurait jamais répondu clairement, je le savais.

– Qu'est-ce qu'il se passe, Papa?

Il a poussé un gros soupir.

– L'expérience est presque terminée, alors on va nous prendre Typhon… a-t-il avoué.

– Comment ça ? Il sait faire plein de choses, mais il en a encore plein à apprendre !

Je n'osais pas dire « Mais il sait lire ! », Papa avait interdit d'aborder le sujet.

– Il sait trop de choses, justement, a-t-il répliqué avec une sécheresse que je ne lui connaissais pas. Des gens, des gens très haut placés, s'inquiètent… Ils sont contents des perspectives de guérison pour les humains, on a obtenu des résultats très prometteurs. Mais en ce qui concerne Typhon, ils ont peur de la contamination.

– La quoi ?

– Tu sais, les petits robots qu'on lui a injectés ? Ceux qui ont transformé son cerveau ? Eh bien, il les a toujours en lui, ils n'ont pas disparu. Et pire encore, ils se répliquent à l'intérieur de Typhon, ils se multiplient dans son corps. J'ai tout essayé pour les éliminer et ça ne marche pas. Si on enlève les robots, le cerveau ne fonctionne plus comme avant, d'après nos calculs.

– Et alors, ils vont lui faire du mal, ces fichus robots?

– Non, mais si Typhon s'échappait un jour, s'il se reproduisait, ou s'il se battait et que son sang coule vers un autre dauphin, il pourrait transmettre ses nanorobots à son congénère.

– Ben, c'est plutôt bien, non? Tous les dauphins sauraient parler et on cesserait de les prendre au filet, comme de vulgaires poissons. Ils se préviendraient entre eux, ils se défendraient.

– Oui, c'est justement ça qui fait peur aux humains! L'espèce muterait, les dauphins pourraient réclamer des droits, s'opposer à nous et peut-être même devenir un danger… Tu comprends, ma Reinette? Le Requin et ses supérieurs ne veulent pas prendre ce risque-là… Ils pensaient que Typhon resterait un cas isolé et qu'on pourrait contrôler les robots dans son sang. Ils vont le…

Il n'a pas achevé sa phrase. Je l'ai fixé et j'ai su qu'il avait déjà fait tout ce qu'il pouvait pour éviter le pire et qu'il ne discuterait plus là-dessus, j'ai juste demandé encore:

– Quand?

– Dans une semaine. Ta mère a obtenu que ce ne soit pas avant ton anniversaire.

Chapitre 10

Le premier avril, je me suis levée très tôt. Je n'ai pas déjeuné et je me suis glissée hors de la maison. Il faisait un temps épouvantable et si je n'avais pas été terrorisée à l'idée de ce qu'on allait faire à Typhon, je n'aurais même pas osé mettre les pieds dehors. La tempête était terrible. Les éclairs tombaient avec fracas un peu partout. Mais j'ai marché quand même sous la pluie battante, en gardant le pass du Centre bien serré dans mon poing trempé et gelé.

Je suis allée jusqu'au labo sans croiser personne à cette heure trop matinale. Arrivée devant le bassin, j'ai dit un seul mot à Typhon :

– Libre.

Il a poussé un cri de joie qui m'a fait un peu mal, mais je n'ai rien ajouté, je suis allée jusqu'aux vannes. Avec mon pass, j'ai enclenché le code de vidange de la piscine.

La mer démontée s'est ruée à l'intérieur le long des tunnels qui la reliaient au bassin. Une première vague a déferlé. Avec un cri d'enthousiasme, Typhon a fait un bond formidable et a plongé dedans tandis qu'elle se retirait. Il a filé vers le tunnel. Je me suis détournée pour ne pas pleurer. J'ai entendu arriver une deuxième vague, plus petite que la première, le bassin se vidait de plus en vite. J'allais partir, mais un gémissement de bébé m'a alertée et je me suis retournée : Typhon était revenu. Il me regardait, la tête penchée de côté, comme s'il allait pleurer lui aussi.

– *Libre, Rana !* a-t-il sifflé par son évent.

J'ai hoché la tête, j'étais incapable de lui répondre. J'ai effleuré son museau dressé du bout des doigts, le niveau de l'eau était trop bas désormais pour que je puisse faire mieux.

Alors, il a fait un dernier saut et a disparu définitivement dans les flots. Les larmes coulaient sur mon visage et cette fois je n'essayais plus de les retenir.

Je n'ai pas osé retourner à la maison, je me suis enfuie vers la plage où les vagues roulaient plus hautes que des camions. J'ai regardé vers le large, là où le ciel était si noir qu'on se croyait encore la nuit. Peut-être qu'un jour je verrais Typhon et les siens revenir me parler ici. J'ai eu si froid d'un coup que je me suis réfugiée dans le hangar de ma vieille amie, la baleine bleue.

C'est là que mes parents et le Requin m'ont retrouvée.

L'autrice

Professeur de lettres classiques, romancière, novelliste, correctrice, anthologiste, Jeanne-A Debats aimerait vivre sur Mercure ou sur Vénus, car les journées y sont beaucoup plus longues que sur Terre. Elle aurait ainsi le temps de se consacrer à toutes ses passions... Elle est notamment l'auteur de *La vieille Anglaise et le continent et autres récits* (éditions Folio SF), dont la novella titre obtiendra quatre prix littéraires, d'*ÉdeN en sursis* (collection « Soon », Syros, 2009) et de *La ballade de Trash* (collection « Soon », Syros, 2010), prix Ados Midi-Pyrénées 2012. Elle a, en outre, publié deux romans adultes, *Plaguers* (éditions L'Atalante, 2010), prix Bob Morane 2010, et *Métaphysique du Vampire* (éditions Ad Astra, 2012). En 2013, elle a participé, pour les éditions Mnémos, à l'élaboration d'un roman graphique en collaboration, *Un an dans les airs*, qui relate une année alternative de la vie de Jules Verne. En 2014, elle a signé un nouveau roman dans la collection « Soon » chez Syros, *Pixel noir*.

Dans la collection
Mini Syros Soon

Loi n° 49-956 du 16 juillet 1949
sur les publications destinées à la jeunesse,
modifiée par la loi n° 2011-525 du 17 mai 2011.

Mise en pages : DV Arts Graphiques à Saint-Nazaire.
Achevé d'imprimer en février 2023
par Laballery (58500, Clamecy, France).
N° d'éditeur : 10289957 – Dépôt légal : octobre 2013
N° d'impression : 212464

Ce livre est imprimé sur du papier
issu de forêts gérées durablement.